D0347034

An Cù Beag, an Rùda Mòr
agus
an Croitear Crosta

Mairead A. NicCoinnich

Dealbhan le Dave Smith

Leabhraichean Beaga
2004

Foillsichte le Leabhraichean Beaga, 2004

© nam faclan Mairead A. NicCoinnich
© nan dealbhan Dave Smith

Air a chur ann an clò Century Gothic le Green
Button Studio

Air a chlò-bhualadh le Posthouse Printing and
Publishing Ltd.

Chuidich Comhairle nan Leabhraichean am foillsic-
hear le cosgaisean an leabhair seo.

LAGE/ISBN: 0 946427 37 2

Caibideil 1

'S e Oidhche Nollaig a bh' ann, oidhche fhuar reòdhta. Bha a h-uile duine a' dol a chadal tràth, feuch an tigeadh Là na Nollaig na bu luaithe. Bha iad ag aisling air na rudan matha a bheireadh Bodach na Nollaig thuca, agus an dìnneir bhlasta a bhiodh aca a-màireach.

Ach cha b' ann mar sin a bha cùisean

ann an taigh a' chroiteir chrosta. Phut an
croitear crosta an rùda mòr agus an cù
beag a-mach chun na starsaich.
"Na cluinneam guth aig aon seach aon
agaibh," thuirt e gu cruaidh agus gu
feargach. "Na cluinneam aon
chomhart, aon ghiob no gheob bhuatsa"
– seo ris a' chù bheag, "no aon mhè-è
bhuatsa" – seo ris an rùda mhòr. "Ma
chluinneas, chan fhaigh sibh grèim a-
màireach ach oisean de sgona chruaidh
agus uisge fuar!"

Agus dhùin e an doras le brag.

Choimhead an rùda mòr air a' chù bheag
agus lasair na shùilean. "An cual' thu
siud?" ars esan. "Ma dhùisgeas thusa an
croitear crosta a-nochd, ithidh mise THUSA
a-màireach an àite sgona chruaidh agus
uisge fuar!" Leis a sin laigh an rùda mòr
sìos. Cha b' fhada gus an do dhùin a
shùilean agus a bha srann aige.

Cha b' urrainn dhan chù bheag cadal.
Nuair a dhùineadh e a shùilean, bha e
a' faicinn deilbh de chnàimh mòr
sùghmhor a bha e an dòchas fhaighinn
anns a' mhadainn. Nuair a dh'fhosgladh
e a shùilean bha an oidhche a b' àille
ann, na rionnagan a' deàrrsadh mar òr,
a' ghealach a' priobadh a sùil ris bho
chùl an t-simileir, oiseanan dubha dorcha
eadar an taigh 's a' bhàthach a' toirt
cuiridh dha a dhol a shiubhal annta ...

Mu dheireadh thall, dh'èirich e air a shocair – aon spòg, dà spòig – agus dh'èalaidh e air falbh. Ann an tiotan, bha e a' bocadaich 's a' dannsa, a' leum is a' cur charan dhe fhèin ann an solas na gealaich. Agus fad an t-siubhail, bha a theanga ann an grèim teann aige eadar fhiaclan, eagal 's gun leigeadh e aona chomhart a-mach!

Uair dhe na h-uairean, agus e a' toirt cruinn-leum seachad air lòn mòr reòthta, dè chunnaic e ach fhaileas fhèin san deigh. Cù eile! Cha robh càil a chuimhn' aig' air rabhaidhean a' chroiteir chrosta.

Thòisich e air comhartaich. Ruith e gu oisean dorcha is e a' dol am falach air a' chù eile. Chan fhac' e riamh am balla ...Brag! Bhuail a cheann sna clachan cruaidhe. Agus thuit e gun ghog chun an làir.

Dhùisg an rùda mòr agus fearg a' lasadh na chridhe, comhartaich a' choin bhig na chluasan. Chunnaic e an cù beag na shìneadh ri taobh a' bhalla is e gun teagamh na shuain. "Feumaidh gun i aisling a bh' ann," ars esan ris fhèin. Laigh e sìos ri taobh a' choin bhig agus ann an tiotan bha esan e fhèin na chadal.

Dh'fhosgail doras an taighe le slaic. Bha an croitear crosta ann an droch, droch thrum. Bha e air seann seacaid chlò a shlaodadh air muin na lèin'-aodaich, a bha suaineadh mu adhbrainn agus mu na bòtannan mòra dubha. Bha an dà chluais mhòir fhuair dheirg agus beagan ròineagan geala fuilt a' stobadh a-mach fon t-seann cheap. Bha bata mòr cruaidh aige na dhòrn, grèim cho teann aig' air 's gu robh fiù 's cnàmhan a chorragan a' bragadaich le feirg.

"Ghiob, gheob! Mè...è, mè...è! Nuair a gheibh mise grèim orra, bidh iad duilich! O, gabhaidh iadsan aithreachas gun do dhùisg iad mise!"

Stamb, stamb, stamb aig na bòtannan mòra air na leacan cruaidhe; suis, suis, suis aig a' bhata, mar gum biodh cab-hag air gus cuideigin a shlaiseadh. Agus an uairsin laigh a shùilean air a' chù bheag agus air an rùda mhòr – an dithis nan sìneadh gu socair sèimh ri taobh a' bhalla – nan cadal suain – agus srann asta le chèile.

Cha b' urrainn dhà a thuigsinn. "An robh mise ag aisling?" ars esan, is e a' coimhead suas air a' ghealaich. Chan fhac' e riamh an deigh air an lòn far am fac' an cù beag fhaileas fhèin. Suis! Dh'fhalbh na bòtannan, cas gu tuath is cas gu deas. Leum am bata às a làimh – thuit a cheap chun an làir – agus dh'fhalbh an croitear crosta, car a' mhuiltein, ruidhleadh mun cuairt, brag! Agus bhuail a cheann sa bhalla. Sìos a thuit e ri taobh an rùda mhòir agus ri taobh a' choin bhig.

Bha na rionnagan a' deàrrsadh, is cha mhòr nach canadh tu gun robh fiamh a' ghàire air aghaidh na gealaich, a' coimhead an triùir nan cadal suain. Agus sin mar a thàinig madainn na Nollaig.

Caibideil 2

Am Faoilleach, an Gearran, am Màrt.
Fuachd nimheil, deàrrsach uisge, gèile is
gailleann.

San Fhaoilleach, dh'fhosgail a' ghaoth 's
na clachan-meallain toll far an robh am
fiodh air grodadh san t-sead. Cha
b' fhada gus an robh an sead làn
sneachda!

Ghluais an cù beag agus an rùda mòr
dhan bhàthaich.

Sa Ghearran, dh'fhalbh an gèile le
tughadh na bàthcha, agus dhòirt an dìle
uisge a-staigh ann. "Huh!" ars an croitear
crosta. "Chan eil cothrom air. Feumaidh
sibh tighinn a chadal dhan chidsin."

Thug e crathadh fiadhaich dhan chromaig. "Ach ma chluinneas mise aon ghiob, gheob, no aon mhè–è, bidh an dithis agaibh a-muigh air a' chnoc ged a

rachadh ur lathadh gu bàs leis an
fhuachd!"

Bha an cù beag agus an rùda mòr
cearta coma ged a bhiodh e crosta.
Bha iad sona a-staigh anns a' chidsin
bhlàth sheasgair.

Bha càise is aran is bainne aig a'
chroitear air a' bhòrd. Bha glainne uisge
air a' bhòrd cuideachd 's bhiodh e a' cur
nam fiaclan-fuadain innte a h-uile
h-oidhche mus rachadh e a chadal.
"Ma bhuineas sibh dha mo bhiadh, no
dham fhiaclan, thèid an dithis agaibh a

sgiùrsadh chun na Sgeire Duibhe," thuirt e agus thug e a leabaidh air.

Choimhead an cù beag agus an rùda mòr air a chèile. Cha toireadh nì air thalamh orra buntainn dhan bhiadh, no gu h-àraid dha na fiaclan! Bha iad ro thaingeil a bhith a-staigh anns a' bhlàths.

Bha an t-uisge a' tighinn a-staigh air mullach a' chidsin agus boinne, boinne a' bualadh ann an cuinneig a dh'fhàg an croitear crosta air an làr. Bha 'plub, plab, plub, plab' aig na boinnean.

Mhair cùisean mar seo fad seachdain, a h-uile duine toilichte, agus cha deach duin' aca a-mach air a chèile. Ach aon oidhche ghrànda fhuar le sgread aig a' ghèile timcheall an taighe, dè chuala an cù beag agus an rùda mòr ach 'bìog, bìog, bìog!' agus dh'èalaidh radan mòr oillteil glas a-staigh dhan chidsin.

Cha tuirt an rùda mòr guth. Cha do leig
an cù beag dad air ged a bha fhios aige
gun cuireadh aona chomhart an
teicheadh air an radan.

Chual' iad an radan a' coiseachd
seachad orra air a chorra-biod. Chual'
iad e a' streap suas gu sèidhir a' chroiteir
chrosta. Chual' iad 'suis!' nuair a ghabh
e cruinn-leum an àird, agus 'brag!' nuair
a thàinig e nuas air a' bhòrd.

Dh'fhosgail an cù beag a shùilean. Bha an
radan oillteil a' slaodadh a' chnap càise far
a' bhùird. "Cagnadh chnàmhan!" ars an

cù beag ris fhèin,"feumaidh mi a stad no
bidh mi air an Sgeir Dhuibh!"

Dh'fhosgail an rùda mòr a shùilean agus
ghabh e an fhearg nuair a chunnaic e
fhèin dè bha tachairt.

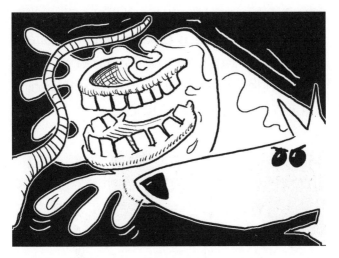

Le ghiob, gheob aig àird a chlaiginn,
leum an cù beag air a' bhòrd. Cha
d' fhuair e grèim air an radan ach bhuail
e anns a' ghlainne le na fiaclan-fuadain
is leag e chun an làir iad.

Le mè-è-è, dh'fheuch an rùda mòr air cas a' bhùird le adhaircean. Chuir e car dheth agus thuit an t-aran agus am bainne dhan chuinneig uisge. Thuit an càise chun an làir.

Ghabh an radan mòr glas eagal a bheatha. Thug e a chasan leis a-mach air an toll cho luath 's a rinn e riamh, is chan fhaca càch ach ceann an earbaill a' dol a-mach à sealladh.

Ach shuas an staidhre ... brag! brag! brag! Seo an croitear crosta a' tighinn a-nuas, na lèin'-oidhche, agus a chromag fo achlais. Bha lasair na shùilean a bha dìreach fiad-haich. Cha tuirt e facal an toiseach – cha b' urrainn dha às aonais nan fiaclan – ach choimhead e air coltas an àite ... càise is bainne is criomagan arain air an làr. Thog e na fiaclan fuadain. Le aon làimh stob e na bheul iad. Leis an làimh eile dh'fhosgail e an doras cùil.

"Mach!" dh'èigh e, "mach leibh! An Sgeir Dhubh a-màireach ged a bhiodh sìde nan seachd sian ann!" Agus a-mach liùg an dithis, dhan ghaoith cho geur ri sgeinean agus dhan uisge dhrùiteach fhuar. Cha robh dad a b' urrainn dhaibh a dhèanamh ach seasamh fad na h-oidhche ri fasgadh ceann an taighe gus an tigeadh solas an latha.

Anns a' mhadainn chual' iad an croitear crosta a' monmhar ris fhèin an dèidh dha dùsgadh. "Grèim bidhe an toiseach ... mach chun na sgeire an uair sin ...". Thàinig e nuas an staidhre le brag, brag aig a' chromaig ris a' bhalla, "a-mach (brag) chun na sgeire (brag) leis an dithis (brag, brag!)" agus a-nuas dhan chidsin.

Ach an uair sin thòisich na h-èighean, "Mo bhiadh, mo BHIADH!" agus an dèidh bualadh is bragadaich chualas ràn eagalach bhon chroitear chrosta. Chrom an rùda mòr a cheann agus dh'fheuch e air an doras. Cha robh e fada ga phutadh fosgailte agus leum an cù beag a-staigh.

Bha an croitear crosta air an làr ri taobh an stòbh agus eagal a chuirp air bhon radan mhòr ghrànda ghlas. Bha an radan air grèim fhaighinn air a' chàise a-rithist 's e a' coimhead air a' chroitear

chrosta mar gu robh e deiseil gu a
bhìdeadh le na fiaclan fada buidhe. Bha
e deiseil gus grèim a thoirt às a' chroitear
fhèin.

Le ghiob, ghiob, gheob leum an cù beag
às a dhèidh is e a' sealltainn cho geal is
cho biorach 's a bha fhiaclan fhèin.

Theich an radan a-mach an doras cùil na
dheann ach ma theich, bha an cù beag
às a dhèidh mar an dealanach. Mach
air an starsaich, tarsainn a' ghàrraidh,
mach chun na mòintich agus suas dhan
bheinn. Chuir an cù beag ruaig air an
radan nach diochuimhnicheadh e gu
bràth.

An ceann greis thàinig an cù beag dhachaigh, a theanga slaodte ris. Bha an croitear crosta a' feitheamh anns a' chidsin, e fhèin 's an rùda. Bha a' chromag a-mach à sealladh air cùl an dorais.

"Shin thu!" ars an croitear crosta, "dè bha gad chumail, is cnàimh blasta an siud a' feitheamh ort! Agus" – ris an rùda, "thusa cuideachd, seall am poc' arbhair tha sin, stiall ort."

Agus cha chualas an còrr an latha sin mun Sgeir Dhuibh.

Caibideil 3

Tràth air madainn samhraidh, thàinig an croitear crosta a' stambadh a-mach dhan ghàrradh. Bha bogsa mòr aige a leig e sìos gu socair, faiceallach air an làr. Thòisich e an uair sin air stialladh le dhòrn air balla an t-sead far an robh an rùda mòr agus an cù beag a' cadal. "Mach sibh! Mach!" dh'èigh e, a' breabadh an dorais. Mach a thàinig an dithis is iongnadh orra mun ùpraid.

"Seall seo," ars esan. "Tha cearc-ghur sa bhogsa seo. Feumaidh ise an t-sead bhlàth, chofhurtail 'son na h-uighean aice a ghur. Mach à seo leibh! O – 's e Cairistiona an t-ainm a th' oirre."

"Cairistiona!" ars an cù beag.
"Cairistiona!" ars an rùda mòr, is bhrùchd

fuaim neònach às, eadar sreathart is sitrich. "Cairistìona! Abair leòm!"

Ach cha robh fhios aca dè chanadh iad nuair a dh'fhosgail an croitear crosta am bogsa agus a thog e às a' chearc bu bhrèagha a chunnaic iad riamh. A' deàrrsadh ann an gathan grèine na maidne, bha na h-itean aice cho lainnireach ri lasair teine, òr-bhuidhe is ruadh, dearg is donn is buidhe. Bha gleansadh na grèine far sìoda nan itean a' boillsgeadh mar bogha-froise ann an gàrradh dorcha a' chroiteir chrosta.

27

Rinn an croitear crosta àite cofhurtail dhi san t-sead, le nead connlaich foidhpe anns am biodh na sia uighean sàbhailte, blàth. Agus thuirt e, "Nise, na cuiribh dragh oirre; feumaidh i fois. Na cluinneam aon ghiob, gheob bhuatsa" – seo ris a' chù bheag, "no aon mhè–è bhuatsa" – seo ris an rùda mhòr. "Leigibh leatha no bidh fhios agaibh air!" Agus thug e crathadh dhan bhata chruaidh dharaich mus do thill e a-staigh.

Cha robh fhios aig a' chù bheag no aig an rùda mhòr dè chanadh iad. Cha b' urrainn dhaibh sgur a choimhead air dathan brèagha nan itean, agus bha crònan na circe mar òran tàlaidh nan cluasan. Dh'èalaidh iad air falbh le chèile gu oisean dorcha fon bhalla.

Cha b' fhada gus an robh an cù beag seachd seann searbh a' coimhead Cairistiona air an nead, a' crònan òran

bheaga ri na h-uighean. "An dèan i
ruith?" thuirt e ris fhèin. "An tig i a
chluich?" A-null leis gu doras an t-sead
far an do theann e ri leum is ri bocadaich
mu coinneimh, ach cha robh diù aice
dhe. Theann e an uair sin ri comhartaich,
ghiob gheob aig àird a chlaiginn, ga
fiathachadh a chluich.

Chaidh Cairistiona glan às a ciall. Stad
an crònan tàlaidh anns a' bhad, agus
chaidh i gu èigheach gu sgairteil. "gog,
gog, gog, GÀG! gog, GÀG! Gùg!" Bha
na sgiathan a' bualadh, bha na
h-uighean air chrith, agus an
teis-meadhan greas ort thàinig an rùda
mòr na dheann-ruith a choimhead dè
bha tachairt. Leis a' chabhaig, chaidh tè
dhe na h-adhaircean aige ann an
ursainn an dorais agus theann e ri mèilich
gu muladach. Chualas gleadhraich agus
rànail: "Ghiob! Gheob! Mè-è-è!
Gog-gàg!"

Nochd an uair sin an croitear crosta agus
's e nach robh sona gun deach a
dhùsgadh bhon norraig chadail a bha e
a' gabhail gu cofhurtail mu
choinneimh an stòbh. Bha e a'
maoidheadh 's a' stambadh 's a'
crathadh a bhata chruaidh dharaich.
"Fòghnaidh sin! Cha dèan sibh a-rithist e!
Thèid an triùir agaibh a-mach air an Sgeir

Dhuibh a-màireach – is tha a' chead eil'
agaibh! An Sgeir Dhubh, ha, hà,
fòghnaidh sin dhuibh."

Chaidh an cù beag, an rùda mòr agus a'
chearc-ghur nan tosd. Chrùb iad gu
sàmhach, sàmhach timcheall nead na
circe gan dèanamh fhèin cho beag 's a
b' urrainn dhaibh. An Sgeir Dhubh!
Creagach, biorach, dubh, grànda am
meadhan a' chuain gun oisean fasgaidh,
gun bhileig feòir: ciamar a bhiodh iad
beò air an Sgeir Dhuibh? Cha tàinig
aona bhiùc à duin' aca airson a' chòrr
dhen latha.

Caibideil 4

Ann an ciaradh an fheasgair, thàinig triùir
mhèirleach a' snàigeadh 's a' crùbadh
timcheall oisean a' ghàrraidh, a' lorg àite
far an deidheadh iad am falach.

Bha fear dhiubh cas-ruisgte agus ged a bha
e air a chorra-biod, rinn a chasan fuaim
beag, sluis, sluis air na leacan. Chuala an
rùda mòr e, ach cha do leig e air dad.
Chrom e a cheann, phut e a shròn a-staigh
dha chlòimh agus cha tuirt e guth.

Bha an dara fear gun aon fhiacail na
cheann agus bha a bhannas a' dèanamh
fuaim fann fliuch, sliub, sliob is e a' deocadh
suiteis. Chuala a' chearc-ghur e ach cha
do leig i oirre dad. Chuir i a ceann a-staigh
fo a sgèith agus cha tuirt i smid.

Cha robh seacaid no geansaidh air an
treas fear agus bha e cho caol is gu robh
na h-asnaichean aige a' bragadaich ri
chèile, briog, brag. Chuala an cù beag e
ach cha do leig e air dad agus cha
tàinig aon ghiob às a bheul. Chum e
grèim teann air a theanga le fhiaclan.

Ann an dubh dhorchadas na h-oidhche dh'èalaidh na mèirlich a-staigh a thaigh a' chroiteir chrosta.

"Seall seo!" ars a' chiad fhear nuair a chunnaic e na bòtannan mòra dubha, gu seasgair blàth ri taobh an stòbh. "An dearbh rud a bha dhìth orm!" Agus stob e a chasan caola salach dha na bòtannan.

"Seall seo!" ars an dara fear is a shùil a' laighe air fiaclan fuadain a' chroiteir ann an glainne air an dreasair. " 'S iomadh rud a chagnas mi a-nist!" Agus stob e na bheul mòr falamh iad.

"Seall seo!" ars an treas fear a' leagail seacaid thiugh chlò a' chroiteir chrosta bhon tarraig air cùl an dorais. Agus stob e a ghàirdeanan caol cnàmhach dha na muilchinnean agus theannaich e an t-seacaid mu asnaichean chruaidh bhiorach.

Agus rinn iad às a' feuchainn ri bhith cho
sàmhach 's a b' urrainn dhaibh. Ach
bha na bòtannan ro mhòr dhan chiad
mhèirleach agus chaidh a chasan ma
seach agus thuit e air a shròin air an
starsach. Bha na fiaclan fuadain ro mhòr
dhan dara fear agus bha iad
a' plusgardaich 's a' bragadaich na
bheul. Agus bha muilchinnean na
seacaid chlò fada ro fhada dhan fhear
chaol is chan amaiseadh e air an doras a
dhùnadh às a dhèidh.

Bha an cù beag seachd seann searbh a'
coimhead an amaideis a bha seo. Bha a
theanga goirt leis a' ghrèim chruaidh a
bh' aig oirre eadar fhiaclan, agus bha a
cheann goirt, a' smaoineachadh air an
Sgeir Dhuibh a bha a' feitheamh air a-
màireach. Bha e a cheart cho crosta ris
a' chroitear fhèin.

Mach às dèidh nan meirleach a ghabh

e, a' dranndan is a' comhartaich aig àird a chlaiginn. Mach às a dhèidh an rùda mòr, a' mèilich gu fiadhaich agus a' crathadh adhaircean. Agus a-mach às a dhèidh a' chearc-ghur agus leis mar a bha i gu tacadh le feirg, theab nach tigeadh aona ghog aiste.

Cha robh a' chiad mhèirleach ach air faighinn air ais gu a chasan nuair a bhuail an rùda mòr san tòin e. Sìos leis a-rithist air a bheul fodha, a shròn a' bualadh sna leacan agus na bòtannan a' leum far a chasan gu tuath is gu deas.

Thug a' chearc-ghur deagh sgrìobadh agus deagh sgròbadh do chasan an dara mèirlich, ga ghonadh is ga ghoirteachadh. Leis a' chràdh leig e às ràn eagalach, agus leum na fiaclan fuadain a-mach às a bheul.

Bha an cù beag trang leis an treas mèirleach. Bhìd e adhbrann is bhìd e a shliasaid agus an uair sin fhuair e grèim teann, teann air cùl na seacaid gus an do shlaod e dheth i. Bha e a' miannachadh a bhìdeadh a-rithist ach cha robh coltas cus feòla air na h-asnaichean.

Theich na mèirlich mar a b' urrainn dhaibh a-mach dhan dorchadas nas miosa dheth na bha iad a' tighinn. Agus nochd an uair sin an croitear crosta, cas-ruisgte, an lèin-oidhche a' suaineadh mu chasan, gun aon fhiacail na cheann, gun e air chothrom aon fhacal a ràdh, ach fhathast a' crathadh a' bhata chruaidh dharaich.

Agus – cha robh e crosta idir! 'S ann a bha e glè thaingeil na bòtannan a chur mu a chasan, na fiaclan a chur air ais na bheul agus an t-seacaid bhlàth a chur air muin na lèin-oidhche. Mus deach iad a chadal –

fhuair an cù beag cnàimh mòr sùghmhor, fhuair a' chearc-ghur bobhla mòr gràin, fhuair an rùda pìos mòr blasta aran-coirce.

Agus cha chualas facal tuilleadh mun Sgeir Dhuibh.

Caibideil 5

Bha Cairistiona, a' chearc-ghur, a' cur
seachad an latha mar a bhios a h-uile
cearc-ghur – a' suidhe air an nead, a'
sgioblachadh a h-itean an-dràsta 's
a-rithist, agus a' crònan òran beag
tàlaidh ri na h-uighean. "Gog a rù gò,
gog gù ... nach buidhe dhòmhsa!" ars ise
rithe fhèin.

"Huh!" thuirt an cù beag ris fhèin, "nach
ann aicese tha an latha dheth!" Beagan

lathaichean roimhe sin thug an croitear crosta rabhadh dha fhèin is dhan rùda mhòr. "Chan fhada gus an tig na h-iseanan a-mach à uighean Cairistiona," thuirt e, "latha sam bith. Cuimhnichibh gum feum i fois is sàmhchair. Cuimhnichibh air an Sgeir Dhuibh!"

Bha an cù beag a' smaoineachadh nach nochdadh na h-iseanan gu siorraidh. Bha e seachd seann sgìth a' cumail grèim air a theanga le fhiaclan agus bha a theanga goirt. " 'S ann ormsa a thàinig an dà latha," ars esan ris fhèin, "chan eil fhios an cuimhnich mi ciamar a nì mi comhart!"

Bha an rùda mòr a' tachas a chinn ris a' bhalla. "Chan eil agamsa ach beatha a' choin ann a sheo," ars esan ris fhèin. Latha às dèidh latha bha e a' leantainn a' choin bhig timcheall a' ghàrraidh deiseil gus a chasg nan tòisicheadh e air comhartaich no bocadaich.

Ach bha Cairistiona ann an deagh thrum. "O nach buidhe dhòmhsa!" bha i a' seinn rithe fhèin. "Nochdaidh na h-iseanan latha sam bith agus bidh iad nas brèagha buidhe na iseanan air an t-saoghal… " agus bha i a' dèanamh deilbh dhi fhèin a' teagasg dhaibh mar a phiocadh iad an gràn is mar a ghlacadh iad boiteagan is … ach dè bha seo? Dè bha fàgail sgleò oillteil uaine air an aisling aice?

Chrath i i fhèin na dùisg is choimhead i mun cuairt le uamhas. Bha a h-itean uaine, bha connlach an nid uaine 's nas miosa na rud sam bith bha na h-uighean aice uaine! Bha an ceò uaine air sgaoileadh timcheall oirre is chan fhaiceadh i fiù 's doras an t-sead.

Agus bha rudeigin ga putadh, ga

piocadh is ga putadh far an nid agus
bha guthan fuar coimheach anns a'
cheò: " ... uighean circe talmhaidh ...
thàinig sinn gan iarraidh, thàinig sinn gan
iarraidh ... bheir sinn leinn iad, bheir sinn
leinn iad, BHEIR SINN LEINN IAD!"

Agus leis an sgriach eagalach mu
dheireadh sgaoil an ceò agus chunnaic i
mun cuairt oirre na sia cearcan bu
ghràinde a chunnaic i riamh na beatha.

Seann, seann chearcan le dealradh uaine timcheall orra. Bha na cinn aca fada ro throm airson an amhaichean fada caola rocach. Bha na sùilean mòra uaine aca fada ro mhòr agus bha gach cìrean is gach gob is gach spuir fada, fada ro bhiorach, cho cruaidh ri iarann is cho geur ri sgithinn.

Thòisich na guthan fann fuar a-rithist "Uighean circe talmhaidh, uighean circe talmhaidh … fhuair sinn dhuinn fhìn iad … bheir sinn leinn iad, bheir sinn leinn iad, BHEIR SINN LEINN IAD!" Thàinig Cairistiona thuice fhèin. Bha iad a' goid a h-uighean – a teaghlaich – a cloinne! Ghabh i seachd leumannan na feirge a-mach às an nead. "STAD!" dh'èigh i. "Sguir! Till dhomh m' uighean!"

Thàinig an cù beag, an rùda mòr agus an croitear crosta nan deann-ruith a-mach dhan ghàrradh, ach stad iad nuair

a chunnaic iad an rud a bha romhpa:
ugh mòr uaine, cho mòr ris an t-sead
fhèin agus na beathaichean bu ghràinde
a chunnaic iad riamh a' dèanamh air.

"Uighean Cairistiona!" dh'èigh an croitear crosta. Le ghiob, gheob aig àird a chlaiginn rinn an cù beag às an dèidh, a' feuchainn orra le fhiaclan, ach cha robh càil aige air a shon ach aon ite chruaidh uaine le blas sgriosail orra na bheul.

"Mè, è!" dh'èigh an rùda mòr is dh'fheuch e ri an glacadh air adhaircean ach dh'èirich iad os a chionn. "Mèirlich! Tràillean!" dh'èigh an croitear crosta a' feuchainn orra leis a' bhata chruaidh dharaich. Ach cha ruigeadh esan orra nas motha.

Siud Cairistiona seachad air iteig, a gob
sraointe fosgailte agus i a' sgriachail is a'
sgiamhail le caoch. "Creachadairean!"
dh'èigh i, "Ugh-speuran, a' falbh lem
uigheansa gu saoghal eile. O, fuirich gus
am faigh mise grèim oirbh, sibh a
ghabhas an t-aithreachas ... " agus
ghabh i cruinn-leum a-steach na bhroinn.

Ann am priobadh na sùla, dh'èirich an
t-ugh speuran suas dhan iarmailt, suis!
Suas, suas leis dhan adhar gus an deach
e mach à sealladh. Dh'fhàg e an cù
beag, an rùda mòr agus an croitear
crosta nan seasamh ann a shiud, an
sùilean cho fosgailte 's a ghabhadh agus

am beòil slaodte riutha.

"Oich!" ars an cù beag, "faodaidh mi nis comhartaich ma thogras mi," ach bha e a' faireachdainn cho tùrsach is nach tigeadh aon ghiob às. "Ach!" ars an rùda mòr, "faodaidh mi mèilich co-dhiù … " ach bha esan cho dubhach, chrom e a cheann is cha tuirt e an còrr.

"Chairistiona!" dh'èigh an croitear crosta, "nach freagair thu, Chairistiona! Till agus cha chan mi guth mun Sgeir Dhuibh gu sìorraidh tuilleadh." Thàinig trì itean

brèagha ruadha, dearga, òr-bhuidhe a'
luasgadh a-nuas gu talamh. Sheall an cù
beag, an rùda mòr agus an croitear
crosta orra gu duilich mus do thionndaidh
iad an sùilean suas a' coimhead is a'
coimhead dhan adhar ghorm os an
cionn.

Caibideil 6

Dh'èirich an t-ugh speuran an àird dhan iarmailt, suis! cho luath is gun do dh'fhalbh Cairistiona a' chearc-ghur car a' mhuiltein, cìrean sìos, spuirean os a cionn a-staigh a dh'oisean cumhang. Ach thug i crathadh dha h-itean is fhuair i gu a casan.

Ann an oisean mu coinneimh bha na cearcan coimheach a' monmhar ri chèile: "gìg...gèig...ciamar a fhuair ise air bòrd?" Thàinig Cairistiona thuice

fhèin. "M' uighean!" dh'èigh i. "Trusdair!
Tràillean! Càit a bheil m' uighean?"

Bha na cearcan coimheach a'
coimhead air a chèile len sùilean fuara
buidhe. Mu dheireadh thall fhreagair tè:
"Feumaidh sinne uighean circe
talmhainn. Tha sinn sean. Chan eil
eireagan againn. Chan eil uighean
againn."

" 'S beag an t-iongnadh nach eil
uighean agaibh!" dh'èigh Cairistiona.
"Tha còir agaibh SUIDHE air uighean – an
cumail blàth sàbhailte – chan ann a
bhith siubhal nan speuran am broinn
uighe!" Ghabh i an cuthach dearg, a'
leum 's a' bocadaich, a' bualadh a
sgiathan agus a' sgriachail gu fiadhaich,
"M' uighean! Till dhomh m' uighean!"

Ach mar bu mhotha bha ise a' sgriachail
is a' gogadaich is a' gràcail, mhothaich i

gu robh rud uamhasach neònach a'
tachairt. Bha na cearcan coimheach a'
fàs na bu lugha, na cìrean a' crìonadh,
na h-earbaill a' seargadh, na sgiathan a'
seacadh. Cha robh nì ri fhaicinn ach
gob a' feuchainn ri piocadh, spuir a'
feuchainn ri sgrìobadh agus cho luath 's
a thuig Cairistiona dè bha tachairt chum i
oirre a' sgriachail gus an do dh'fhalbh sin
fhèin.

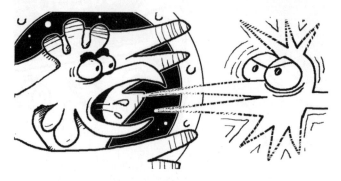

Bha i nis leatha fhèin san ugh speuran,
gun fhios ciamar a gheibheadh i
dhachaigh. Ach mus d'fhuair i fiù 's
coimhead mun cuairt oirre, chuala i guth
os a cionn: "Tighinn a-nuas … tighinn

a-nuas … tighinn a-nuas …" An robh an
t-ugh speuran air tilleadh dhachaigh
leatha?

Bha solas uaine a' deàlradh air lòsan mu
coinneimh agus leugh i ann a shin faclan
a chuir eagal a cuirp oirre "PLANAID
SGROB." Ach bha an t-ugh speuran a'
sìor dhol nas ìsle agus a-mach air an
uinneig chunnaic i na ceudan chearcan

coimheach a' cruinneachadh na
choinneimh.

"Mach à seo!" arsa Cairistiona rithe fhèin
"ach ciamar?"

Bha de phutain is de chnagan is de
sholais mu a coinneimh. Thug i deagh
shlaic le a gob air aona phutan le "SUAS"
sgrìobhte air agus suis! dh'èirich an t-ugh
speuran suas am measg nan reultan aon
uair eile.

Choimhead i air na putain eile: SGROB
SATURN MARS CEARCGHUR "Cearc-
ghur! Glè mhath ..." agus thug i slaic
dha. Dh'fhairich i an t-ugh speuran ag
atharrachadh cùrsa. Saoil an robh i

tilleadh dhachaigh?

"Dhachaigh gu ... m' uighean!" dh'èigh i,
"Càit a bheil m' uighean?" Thòisich i air
siubhal.

Chaidh iad seachad air planaidean le
grèin dhearga is gheala ach cha do
mhothaich Cairistiona; bha i a' siubhal
thall 's a-bhos airson nan uighean.
Chaidh iad seachad air planaidean le
gealaich ghorma is uaine ach cha do
mhothaich Cairistiona; bha i a' siubhal
shìos is shuas airson a h-uighean.

Gus an tàinig an guth os a cionn a-rithist,
"Tighinn a-nuas, ro luath ro luath ro
LUATH."

"O," dh'èigh Cairistiona. "Thèid mo
mharbhadh – gòg, gog-àg." Sìos leis an
ugh speuran – spluis! An teis-meadhan
sitig a' chroiteir chrosta, an teis-meadhan
na h-innearach – bog, salach ach
sàbhailte.

Agus dh'fhosgail preasa falaich ann am
balla an uighe speuran agus mach a

rolaig uighean Chairistiona, le sgàineadh an siud agus sgealbadh an seo, le gob a' brùthadh a-mach an siud agus itean an seo. Bha na h-iseanan direach gu tighinn a-mach as an t-slige.

Cha robh i fada gan cuideachadh a-mach à sligean an uighean fhèin – agus abair gu robh fàilte roimhpe. Bha an cù beag a' bocadaich is a' dannsa, ghiob, gheob! Bha an rùda mòr a' pronnadh an uighe speuran le adhaircean, mè-è, mè-è. Agus bha an croitear crosta a' stialladh air le a bhata – agus cha robh e crosta idir!

"O, Chairistiona! 'S e do bheatha dhan dùthaich!" agus chuidich e fhèin agus an cù beag agus an rùda mòr i gus na h-iseanan a chruinneachadh dhan nead bhlàth san t-sead.

"O nach buidhe dhòmhsa!" arsa
Cairistiona rithe fhèin, "agus nach
brèagha buidhe na h-iseanan! Brèagha
buidhe mar òr," is i gan coimhead a'
cluich ann an gathan grèine an fheas-
gair. "Brèagha buidhe … " ach dè bha
siud? An robh fiamh … beag … bìodach
… UAINE mu na h-iseanan?

Caibideil 7

Nuair a dhùisg Cairistiona bha na h-eòin
bheaga a' seinn agus gathan na grèine
a' deàrrsadh a-staigh dhan t-sead.
"Nach math a bhith beò!" smaoinich i is i
a' cruinneachadh nan iseanan a-staigh
fo a sgiathan. Ach le gaoir na feòil
chuimhnich i an smuain neònach a
thàinig thuice an-raoir – gu robh fiamh
uaine air itean nan isean!

Air a socair fhèin thug i sùil air na
h- iseanan a' cadal foidhpe. Bha iad
cho buidhe ris an òr ann an solas na
grèine. Leig i aisde osna thaingeil:
feumaidh nach robh ann ach seòrsa de
dh'aisling as dèidh na thachair.

" 'S mi bhios trang," arsa Cairistiona a'
dèanamh deilbh dhi fhèin ag

ionnsachadh dha na h-iseanan mar a
phiocadh iad gràn is mar a ghlacadh iad
boiteagan is mar a chumadh iad an
itean snog, spaideil – a h-uile rud a
dh'ionnsaich i fhèin na h-isean beag.

Thàinig an croitear a-mach dhan t-sead,
agus a h-uile coltas air gu robh e ann an
deagh thrum! Bha e air a cheann a
chìreadh, aodann a nighe, agus bha na
fiaclan fuadain cho geal ris a' chanach.
Bha an cù beag agus an rùda mòr aig a

shàilean. "Rinn mi bròs coirce dha na h-iseanan," thuirt e.

Ach chan itheadh na h-iseanan aona ghrèim dheth. Cha chuireadh gin aca gob faisg air. Cha robh fhios aig Cairistiona dè chanadh i. Smaoinich i sealltainn dhaibh mar a ghlacadh iad boiteag. "Cuir do chluas ris an talamh," thuirt i agus èist ... dè bha siud? Sluis ... sluis ... boiteag ag èaladh tron ùir..."

Cha b' e ruith ach leum dha na h-iseanan. Le pioc thall is pioc a-bhos, bha a h-uile fear a' piocadh boiteig dha fhèin – agus t'èile is t'èile is t'èile. Chà robh stad air na goban. Agus bha iad a' sìor fhàs mòr!! Agus, rud eile dheth, bha Cairistiona cho cinnteach 's a ghabhadh i gu robh na h-itean aca a' fàs uaine!

Thàinig an oidhche is bha na h-iseanan cha mhòr cho mòr rithe fhèin! Cha deidheadh iad a chadal. Theab an croitear crosta a dhol a chaoineadh nuair a chunnaic e coltas an àite sa mhadainn. An talamh tioram cruaidh gun ann ach dusd! Sgàinidhean is claisean mòra thall 's a-bhos, gun aon bhileig ghuirm fheòir ri fhaicinn!

Bha na h-iseanan a-nis a' coimhead eagalach le itean cruaidhe uaine agus spuirean biorach. Agus lasair nan sùilean nach robh laghach idir.

"A Chairistiona," ars an croitear crosta, "nach tèid thu a choimhead air do charaid Ealasaid Eòlais feuch am bi fios aicese dè bu chòir dhuinn a dhèanamh."

Nuair a chuala Ealasaid mar a thachair, bha i greis mhòr a' smaoineachadh agus thuit Cairistiona na cadal ann am blàths na grèine. Nuair a dhùisg i, thuirt Ealasaid rithe, "Thalla dhachaigh agus can ris a' chroitear chrosta gu bheil an leigheas na làmhan fhèin."

Nuair a thill Cairistiona, thàinig an croitear na coinneimh. Choimhead ise air a làmhan. Dè bh' aige na làmhan? Cha robh ach an t-seann chromaig.
Feumaidh gu robh rudeigin mun chromag. Leum i an àird, a gob fosgailte, a' feuchainn air an làimh san robh a' chromag aige.

'S ann a shaoil an croitear gu robh i a' dol ga bhìdeadh.

"Hoigh!" dh'èigh e, "A bheil thu às do rian? O," is e a' bualadh na cromaige air an talamh, "b' fheàrr leam seach rud sam bith (brag) gu robh sinn uile(brag) air ais mar a bha sinn(brag)." Agus leis an treas brag, thilg e bhuaithe a' chromag.

Suas dhan adhar ghabh a' chromag, mun cuairt, mun cuairt, a' seòladh san iarmailt os cionn a' ghàrraidh, os cionn na croite, os cionn nan isean, a' sgiathadh cho slaodach 's iad uile ga coimhead, gus an tàinig i mu dheireadh a-nuas gu làr.

Cha do mhothaich duin' aca gu robh an talamh a' leigheas, na claisean a' dùnadh, feur gorm a' fàs, na h-iseanan a' fàs beag mar bu chòir dhaibh a bhith 's an itean a' call am fiamh uaine.

Nuas a' chromag gu talamh le brag agus

– bha e mar gum biodh iad uile
a' dùsgadh à aisling. Choimhead a
h-uile duine mun cuairt: cha robh càil
a-mach às an àbhaist. Bha na h-iseanan
a' bìogail agus thuirt an croitear crosta,
nach robh crosta tuilleadh, "Is fheàrr
dhomh beagan coirce fhaighinn
dhaibh."

Cha b' fhada gus do thill e le deagh
shuipeir dhan a h-uile duine, coirce dha
na h-iseanan, gràn do Chairistiona, fodar
blasta dhan rùda mhòr agus cnàimh le
criomadh math air dhan chù bheag.
Cha robh guth air a' chromaig, is cha
robh cuimhn' aig duin' aca gu robh a'
leithid riamh ann.

(Tha e ri ràdh gun do thill na boiteagan
fhèin an làrna-mhàireach.)